D0354954

Écrit par : Nicole Lebel et Francis Turenne
Illustré par : Francis Turenne
Révision des textes : Liara-Caroline Brault

Phil & Sophie : Je suis optimiste
ISBN : 978-2-924044-15-5
Dépôt Légal - Bibliothèque et Archives Nationale du Québec, 2012
Dépôt Légal - Bibliothèque et Archives Canada, 2012

Imprimé au Canada

Créé et publié par Fablus

Fablus.ca

©2012, Fablus inc. Tous droits réservés.
Aucune section de cet ouvrage ne peut être reproduite,
mémorisée dans un système central ou transmise de quelque manière que ce soit
ou par quelque procédé électronique, mécanique, photocopie, enregistrement
ou autre, sans la permission écrite de l'éditeur.

Fablus, Phil & Sophie et tous les autres titres, logos et personnages
qui y sont associés sont des marques de commerce de Fablus.

© Fablus

Sophie a toujours le choix.

Elle a le choix entre du jus
de pomme ou du jus de raisin.

Sophie a le choix de mettre ses lunettes
roses ou ses lunettes grises.

Quand elle met ses lunettes grises,
tout lui paraît triste et ennuyeux.

Quand Sophie met ses lunettes roses,
tout lui paraît joyeux et amusant.

Quand elle voit la vie en gris,
ranger les jouets la met en colère
et elle pleure.

Quand Sophie voit la vie en rose,
ranger les jouets la met de bonne humeur,
car c’est si beau quand tout est en ordre !

S

Avec ses lunettes roses,
Sophie est heureuse de voir
du bon jus dans son verre !

Quand par malheur elle porte
ses lunettes grises, elle est triste,
car elle voit son verre presque vide.

Et toi ?

Vois-tu la vie avec des lunettes grises

ou avec des lunettes roses ?

S

Fais comme Sophie et choisis
de voir le bon côté des choses.
Choisis d'être optimiste !

Ministoires[MD] à colorier et certificats gratuits sur fablus.ca